JOHANN SEBASTIAN BACH

CONCERTO

for Violin, Strings and Basso continuo
für Violine, Streicher und Basso continuo
E major/E-Dur/Mi majeur
BWV 1042

Edited by/Herausgegeben von
Arnold Schering

Ernst Eulenburg Ltd
London · Mainz · Madrid · New York · Paris · Prague · Tokyo · Toronto · Zürich

J. S. BACH, VIOLIN CONCERTO E MAJOR

It is a pity that out of the Violin Concertos that Bach wrote, with the exception of the one in D minor for two violins, only two have been handed down to posterity in their original form. But these two in A minor and E major have long since become favourite pieces with fiddlers, and a test for whomsoever would prove the possession of classical technique and a feeling for style.

When Bach approached the Concerto form it was still in its infancy, and we know that in the 18th century the concertos of the Italian, Vivaldi held the field. It is to this composer that the Concerto owes the differentiation between Solo and Tutti, clear, logical construction, and the invention of new figure-writing. Bach was among the many who took him as a model.

How limited was the study of key characteristics in Bach's time—according to the text-books, not from the masters and their works—is proved by Johann Mattheson's maxim:—"E major expresses incomparably the feeling of sadness and despair" (1713)*). There is hardly a work of the period which is so much at variance with this dictum as Bach's E major Concerto in its first and last movements, for these are permeated through and through with the joy of life, with light, gaiety, sport, merriment and impetuosity.

A fanfare begins the work, followed by those dancing figures which always prove Bach to be in his best form. And immediately these merry, rending figures rush in with cunning by-play from the soloist. He descends at ease, takes another flight and ends decisively.

With this, the part played by the Tutti episodes is established for the whole movement. Whatever the soloist touches is supported and copied by the Orchestra which always replies with the thematic material of the introduction. Outwardly the movement resembles the da Capo Aria in repetition form. While, initially, Tutti and Solo stand in close relationship of lively interchange, the powers of virtuosity are only brought into play in the middle section (C sharp minor). The previous somewhat disjointed construction is now strengthened and the tonal texture closer. Technically speaking, the movement proceeds from this point in a succession of short "developments". The first, starting at bar 53, consists of brilliant solo passages uniting the music till bar 70. In the second development, from bar 82 onward, the solo violin is again busy, the accompaniment echoing the principal theme, and ends with the F sharp minor cadence on bar 95. To this is joined the third development, conflicting in character and in double notes, with rare interplay between Solo and first Violin. It is however quite short.

The expectation of a return to the original key is not fulfilled, for through B major the music takes a surprising turn into G sharp minor, and remains

---

*) See also R. Wustmann, "Key Symbolism in Bach's day", Bach Year Book 1911, page 60 etc.

there. It is as though the high spirits and merriment of the foregoing had become entangled in a hopeless net. Both orchestra and soloist—the latter with outcry and final defeat—struggle violently against this oppression, but both are powerless. From a technical standpoint as well as in the music itself this passage is the most remarkable in the whole of the movement. Why Bach, from this tonal and dramatic summit did not lead us organically to a moment which would have firmly established a repetition of the beginning, instead of cutting the knot he had tied with a stroke of the hand, is difficult to say. For, as if out of a cloudless sky, the da Capo begins note for note. Should not Bach have here given a free Cadenza to the soloist to bridge over the difficulty? Such a case however was not rare in the days of da Capo Arias, for in the concertos of Giuseppe Torelli similar unconnected returns to the initial tutti may be found, but there, generally by a pause, the old sign for improvised embellishments. One would then consider the Adagio, written out by Bach himself, merely as the introduction or beginning to a further improvisation made by the player, corresponding with the piano arrangement of the concerto by the composer (Bach Edition Vol. 17, page 92).

A certain relationship exists between the middle movement of the A minor Violin Concerto and the Adagio of the present work, in as much as a *quasi* Basso ostinato, is employed in both. Just as in the introduction, to the former, also here, the bass is the spokesman *). Its speech is earnest and impressive but devoid of passion *(sempre piano)*. With the exception of the ending downward cadence, in which the other instruments join, the bass expresses nothing throughout the whole movement save the short rhythmic formulae of the opening. But although it is merely the foundation, it never loses its original character, and makes a deep and moving effect whenever it enters.

The upper solo part apparently has little in common with the recitations of the bass. It is however but the echo of the latter on another spiritual plane. The earnestness, the "trouble" which the bass portrays is broadened out and freely developed in the solo violin. A comparison may be made with the middle movement of the Italian Concerto. But while, there, the hundred-fold broken lines, with all their tenderness, still retain a certain inward reserve, in the present work reigns such sweetness of expression that from the start one is inclined to forget that the movement is in the key of C sharp minor. In these figured pictures, their rise and fall, in this ornamentation and hesitating suspension lie the elements of a soul speech that Bach created for himself, but which up to the present day has not been fullv explored, since we have not yet penetrated into the heart of baroque psychology. Neither technical analysis nor speculative estimates lead to the complete understanding of such pieces as this one in C sharp

---

*) In order to avoid too thick a tone the Double-basses might be omitted.

minor; they stand helpless before such expressive strength as is exhibited in bars 23 etc., 38 etc., and 47 etc. for example. What we require is an analytical process derived from new means, and it may also be asked whether such psychological investigation into matters of fact is anywhere capable of increasing artistic pleasure.

Bach has written the last movement (Allegro assai) in the form of a Rondo. In ten times 16 bars—one sixteen for the five times repeated main idea, the other sixteen for the solo episodes—so the whole movement runs along merrily and sets no problems. The whole interest is centred in the soloist and his technical feats. Although in no place of great difficulty, the figuration each time is so magical and wilful and the instrumentation of the episodes so varied, so full of grace and playfulness, that the return of the Tutti each time works as a relief. It is to be noted that the caprices of the solo dancer—for the movement is fashioned after the french Ballet Rondo—become more complicated towards the end, and at the finish of the last episode, this time 32 bars long, develop into a mad whirl, giving the impression that there is nothing more to be done, and that the following Tutti must of necessity be the last.

Arnold Schering

J. S. BACH, VIOLINKONZERT E DUR

Es ist bedauerlich, daß sich von den Violinkonzerten, die Bach geschrieben hat, außer dem in d-moll für 2 Violinen nur zwei in der originalen Fassung in die Nachwelt hinübergerettet haben. Aber diese beiden (in a-moll und E-dur) sind auch dafür seit Jahrzehnten Lieblingsstücke der Geiger geworden und Prüfsteine für jeden, der klassische Technik und abgeklärtes Stilgefühl beweisen will.

Als Bach an die Konzertform herantrat, war diese selbst noch sehr jung, und man weiß, daß damals — es war im zweiten Jahrzehnt des 18. Jahrhunderts — des Italieners Vivaldi Konzerte vor andern Achtung genossen. Ihm verdankte man neben der reinlichen Scheidung von Tutti und Solo einen klaren, folgerichtigen Satzaufbau und das Bekanntwerden neuer virtuoser Spielfiguren. Zu den vielen, die sich ihm nachbildend anschlossen, gehörte auch Bach.

Wie stark befangen die Lehre der Tonartencharakteristik zu Bachs Zeit war — soweit Lehrbücher davon zeugen, nicht die Meister und ihre Werke selbst —, beweist Johann Matthesons Ausspruch: „E dur drücket eine verzweiflungsvolle oder ganz tödliche Traurigkeit unvergleichlich wol aus" (1713)*). Kaum ein Stück des Zeitalters widerspricht dem so, wie Bachs E-dur-Violinkonzert in seinen beiden Ecksätzen. Denn alles, was nur irgend mit Lebensfreude verknüpft werden kann: Helle, Heiterkeit, Scherz, Keckheit, stürmisches Draufgehen, das ist in vollen Schalen auf diese beiden Sätze ausgegossen.

Eine Fanfare schon leitet den ersten Satz ein, gefolgt von jenen hüpfenden Munterkeitsmotiven, die uns Bach immer in bester Stimmung zeigen. Und sofort prasseln lustige „Hiebfiguren" herein — wie man sie nach ihrem gewöhnlichen Erscheinen in Kampfszenen nennen kann — und beginnen mit dem Solisten ein neckisches Spiel. Behaglich dreht sich's von der Höhe wieder herab, nimmt einen neuen Aufschwung und endet kurz und bestimmt.

Hiermit ist für den ganzen Satz die Rolle der Tuttiepisoden festgelegt. Was auch den Solisten anwandeln möge, das Orchester bändigt, neckt, unterstützt ihn und widerspricht ihm immer nur mit dem thematischen Material dieser Einleitung. Äußerlich ist der Satz in den Rahmen einer der da Capo-Arie angenäherten Wiederholungsform eingespannt. Während anfangs Tutti und Solo in ein reges Austauschverhältnis treten und auf kurze Strecken abwechseln, erwachen im Mittelteil (cis-moll) die eigentlichen virtuosen Kräfte. Der vorher etwas zerklüftete Aufbau gewinnt größere Festigkeit und das Klanggewebe wird dichter. Satztechnisch gesprochen, handelt es sich von da an um mehrere kleine „Durchführungen". Die erste (von Takt 53 an) besteht aus glänzender Solofiguration und hat die Bedeutung, die beiden am Anfang und am Ende (Takt 70) stehenden cis-moll-Pfeiler mit einem gewaltigen Bogen zu verbinden. Zielstrebiges Sequenzenwesen

*) Vgl. dazu R. Wustmann, Tonartensymbolik zu Bachs Zeit, Bach-Jahrbuch 1911, S. 60 ff.

und Vorhalte treiben ihn zu kräftiger Spannung auseinander. Die zweite Durchführung (82 ff.) läßt den Solisten zwar weiter konzertieren, bringt aber in der Begleitung nachdrückliche Hinweise auf das Hauptthema und findet ihr Ziel in der fis-moll-Kadenz des Taktes 95. Sofort schließt sich die dritte Durchführung an, deren Konfliktcharakter in der doppelgriffigen, launischen Führung der Solo- und der Orchestervioline zum Ausdruck kommt. Aber auch sie ist nur kurz.

Die Erwartung, nunmehr endlich zur Grundtonart zurückgeführt zu werden, wird indessen getäuscht, denn über H-dur greift die Entwicklung überraschend nach gis-moll, um jetzt davon nicht mehr loszukommen. Es ist, als habe sich die frohe Laune, der Übermut des Vorangegangenen hoffnungslos in die Netze widriger Affekte verstrickt. In heftiger Erregung suchen Orchester und Solist — dieser in Gestalt eines Aufschreis und ohnmächtigen Niedersinkens — sich dieses Druckes zu entledigen. Es gelingt weder dem einen noch dem andern. Diese Stelle ist satztechnisch und dem Sinne nach die merkwürdigste des ganzen Satzes. Warum Bach von diesem tonalen und dramatischen Höhepunkt nicht organisch hinübergeleitet hat zu einem Augenblick, der die Wiederholung des Anfangs innerlich fest begründet hätte, sondern den selbstgeschürzten Knoten mit einem Handstreich gleichsam zerhaut, ist nicht zu erkennen. Denn unvermittelt, wie aus wolkenlosem Himmel heraus beginnt sofort das notengetreue da Capo. Sollte hier etwa, ohne daß Bach es angemerkt, vom Solisten ein Weiteres getan und in einer freien Kadenz jene notwendige Brücke geschlagen werden, die wir vermissen? Dieser Fall stände selbst in jener Zeit der da Capo-Arie keineswegs einzig da, und schon in Konzerten Giuseppe Torellis erscheinen ähnliche unvermittelte Übergänge ins Anfangstutti, dort aber in der Regel durch eine Fermate — das alte Zeichen für improvisierte Zutaten — gekennzeichnet. Man würde dann das von Bach selbst ausgeschriebene Adagio nur als Anleitung oder Anfang einer vom Spieler weiter auszuführenden Improvisation ansehen dürfen, was dann auch für die von Bach hergestellte Klavierfassung des Konzerts (Bach-Ausgabe Bd. 17, S. 92) gelten würde.

Eine gewisse Verwandtschaft mit dem Mittelsatz des a moll-Violinkonzerts zeigt das Adagio des vorliegenden in der Benutzung ostinato-ähnlicher Baßführungen. Ganz wie im Vorspiel jenes tritt auch hier der Baß*) als Wortführer auf. Seine Rede ist ernst und eindringlich, aber ohne Leidenschaft (sempre piano). Mit Ausnahme der abwärtsgleitenden Schlußwendung, die auch die übrigen Instrumente sich zu eigen machen, vermag er den ganzen Satz hindurch nichts anders zu stammeln als diese kurzen rhythmischen Formeln des Eingangs. Aber auch als bloße Fundamente verlieren sie niemals das Wesen ihres ursprünglichen Ausdrucks, und das gibt allen Stellen, wo sie auftreten, eine gewisse Färbung des Rührenden.

*) Um Aufdringlichkeit und Klangdicke zu vermeiden, wäre er vielleicht ohne Kontrabaß zu besetzen.

Mit diesen Rezitationen des Basses hat nun zwar die Oberstimme des Solisten scheinbar wenig gemein. Dennoch ist sie nichts anderes als ein Echo auf sie, nur aus einer andern seelischen Region. Der Ernst, der „Kummer", den der Baß gefesselt zeigt, ist in der Stimme der Solovioline gelöst, frei entfaltet, hemmungslos ausgebreitet. Ein Vergleich mit dem Mittelsatze des „Italienischen Konzerts" liegt nahe. Während dort aber die ebenfalls hundertfach gebrochene Affektlinie trotz aller Zartheit ihres Gebildes eine gewisse innere Sprödigkeit nicht verleugnen kann, waltet hier eine Milde, Freundlichkeit und Süße des Empfindens, die schon am Anfang beinahe vergessen läßt, daß die Grundtonart des Satzes cis-moll ist. In diesen figurativen Gebilden, in ihrem Steigen und Fallen, in ihren Ornamenten, ihren Vorhalten, in ihren Bindungen und Stockungen ruhen die Elemente einer Seelensprache, die Bach ganz für sich — wenn auch mit Anlehnung an überkommene Symbole, ausgebildet hatte, die aber bis heute noch nicht völlig erforscht ist, da wir erst unvollkommen in die Psychologie des Barockzeitalters eingedrungen sind. Zum letzten Verstehen von Sätzen wie diesem cis-moll-Stück führt weder technische Analyse, noch spekulatives Berechnungsverfahren. Denn diese stehen Takten von so sprechender und offenbarender Kraft wie etwa 23 ff., 38 ff. und 47 ff. hilflos gegenüber. Hierzu bedarf es eines analytischen Vorgehens mit ganz neuen Mitteln, wobei die Frage, ob eine solche Erforschung psychologisch tief verborgener Tatbestände den künstlerischen Genuß irgendwie zu erhöhen imstande ist, für die Wissenschaft und die Wißbegierde ganz ausscheidet.

Dem Schlußsatz (Allegro assai) hat Bach die Form eines Rondos gegeben. In zehnmal 16 Takten — je sechzehn immer für den unverändert fünfmal wiederkehrenden Hauptgedanken, die übrigen Sechzehner für die konzertierenden Zwischenepisoden — spielt sich das Ganze munter und durchaus problemlos ab. Das ganze Interesse gehört dem Solisten und seinen technischen Launen. Obwohl ihm keineswegs große Schwierigkeiten zugemutet werden, ist die Figuration jedesmal von so bezaubernder Eigenwilligkeit und die Instrumentation dieser Zwischenepisoden so abwechselnd und fesselnd, so voller Anmut und Schalkheit, daß der unveränderte Kehrreim des Tutti immer von neuem wie eine Befreiung wirkt. Man bemerkt, daß die Kaprizen des Solotänzers — denn dem französischen Ballettrondo ist der Satz nachgebildet — gegen den Schluß hin immer künstlicher werden und sich am Ende der letzten, diesmal 32 Takte langen Episode geradezu in tolle Wirbel verlieren, und hat die Empfindung, daß jetzt eine Steigerung nicht mehr möglich ist und das folgende Tutti unwiderruflich das letzte sein muß.

Arnold Schering

Violin Concerto

10
Solo.
Tutti.
Solo.

20
Tutti.
Solo.
p
pp
f
(pp)
(f)

30
(p)
p

p
7
6
5
(6
4)
7
7
♯
Tutti.
(f)
f
f
f
7
♯
7
(6)
(6)
6
5
2
6
6
6
4
6
5

50
(Solo.)

60

7♭
5
6
7
♯
9
6
–
8
7
♯
6
7
5♮
7
6
7
♯
6
4
70
Tutti.
f
f
f
f
5
♯

Solo.
p
f
(p)
(f)
80

90

(p)
100
f
f
(f)
(f)

(p)
(p)
(p)
(p)
6 7 5
r
p
p
6 7
110
7
×
6
4
7
×
6
4

tr
tr
f
f
f
(f)
p
(p)
7
f
f
f
(p)
(p)
(p)
p
6
6
5
Adagio.
120
7
5
9
7
(6 6
7♭ 6
4
7)

Allegro.

Solo
Tutti.
Solo.
140

Tutti.
Solo.

150
(p)
(p)
(p)
(p)

160

Tutti.

170
p
(p)
(f)
f

II.

20
tr
p

80
tr
6
7
♯
(4
3)

tr
6
7
♯
4
3
(6)
4♭
3
7
5
4
3
40
(6/4)
6
5
7
7
7

50
tr.
6
7♭
♯
(6
4)
7
♯
6
4
6
5
6
5
6
5♮
6

III.

Allegro assai.

Solo.
20
(p)
6
7
7
♯
7
7
♯
♯
30
6
6
6
5
6
5
7
♯

Tutti.
f
(f)
(f)
(f)
40

Sclo.
50
p
p
p
(p)
60

Tutti.
p
f
tr
p
f
f
f
(f)
(f)
6
70
6
6
-6-
6
(6)
6
5
6
5
6
7♭

80
tr
Solo.
p
6
90
(♯)
(5 4 3)

Tutti.
f
f
(f)
(f)
(6)
6
5
100
6
6
6
6
6
(6)
6
5
6
5
6
7♭

110
tr
tr
6
Solo.
p
p
p
(p)
120

p
f
p
f
f
p
f
p
f
130
(7♭
×)

tr
140

Tutti.
f
f
f
(f)
6
6
6
150
6
(6)
6
5
6
5
6
7♭
6
tr
tr
160